KB096269

관통

관통

발 행 | 2024년 05월 28일
저 자 | 0aisynik
펴낸이 | 한건희
펴낸곳 | 주식회사 부크크
출판사등록 | 2014.07.15.(제2014-16호)
주 소 | 서울특별시 금천구 가산디지털1로 119 SK트윈타워 A동 305호
전 화 | 1670-8316
이메일 | info@bookk.co.kr

ISBN | 979-11-410-8678-7

www.bookk.co.kr
© 0aisynik 2024
본 책은 저작자의 지적 재산으로서 무단 전재와 복제를 금합니다.

관통

0aisynik 지음

목차

이 책을 모든 이야기를
쓸 수 있게 도와주신 有談님께 바칩니다.

1부

늘 사랑하는 것들의 이름은

가슴에 번지고

●

엄마의 잔소리를 뒤로 하고
읽던 책을 묶어 버리고
푸르른 나무를 베어버리고

난 또 쓸데없이 붉은 것들
하염없이 검은 것들만 줍는다.

조용히 자라난 버섯들은 왜 따가는지
난데없이 살아가던 사슴은 왜 죽이는지

쓸데없는 것들은 여기에 있는데
모두 없어져도 될 것들은 여기에 있는데

왜, 어째서.

꾸준히

매일 아침 일어나 보는 하늘에도 사랑이,
눈이 떠지기도 전에 맡아지는
차갑고 차분한 아침 공기 또한.

자려고 누웠을 때 보이는
하얗고 네모난 천장도 변하지 않은 채
내게 사랑받고 있다.

그런 하루가 계속되고 있다.

사랑하는 이유

"너는 내가 왜 좋아?"

이유없는 사랑이 어디있어.

"너는 내가 왜 좋아?"

그리 깊이 생각해본 적 없어.

"너는 내가 왜 좋아?"

한눈에 사랑에 빠졌지.

"너는 내가 왜 좋아?"

너가 제일 예쁘니까.

다들 쉽게 뱉는 그런 말.

"너는 내가 왜 좋아?"

....

편지

수많은 꽃봉오리들이 숨을 틔우는 봄.
강렬한 태양이 이글거리는 여름.
수채화로 그려낸 풍경이 가득한 가을.
새하얀 눈이 소복히 쌓이는 겨울.

이 계절들을 셀 수 없이 보냈지.

한 계절이 떠나갈 때
난 한 번도 붙잡고 싶다던가 그립다던가,

그런 감정은 느껴본 적이 없어.
전혀 아쉽지가 않았거든.

가득 채운 노트에 더 이상 글을 쓸 수 없다고 해서
아쉽지 않잖아?

모든 날 모든 순간을
너로 가득 채워넣었어.
노트를 쓸 때마다 어떤 추억을
적어내려갈지 기대가 되었지.

기대가 전부였지.
평생 버리지 않을 거야.

우리 안에 가득 차서
항상 행복할 수 있으면 좋겠어.

수많은 꽃봉오리들이 숨을 틔우는 봄.
강렬한 태양이 이글거리는 여름.
수채화로 그려낸 풍경이 가득한 가을.
새하얀 눈이 소복히 쌓이는 겨울.

이젠 아쉬울 것 같아.

우리, 같이, 바다

넌 정말로 청춘이라는 말이 잘 어울리는 아이였다.

자기 대신 죽어줄 수 있냐고
묻던 그 얼굴이 잊혀지지 않는다.

난 대답하지 못했다.

어딘가 쓸쓸한 표정
말 없이 하는 다짐이었다.

그 후로 나는 너가 또 같은 질문은 한다면
그렇다고 대답하기로 마음먹었다.

끝없는 바다를 보러 가기로
한 날이었다.

가만히 손을 잡고 거닐었던 그 길들은
아무 소리도 내지 않았어.
우리의 발자국 소리조차 들리지 않는 고요한 바다.

마침내 무언가 다짐한 듯,
파도가 덮치듯 입술에 생기가 돌았다.

"우리 같이 죽자."

바다에서?

"응, 꼭 바다에서."

너의 손을 잡고
바다로 뛰었다.

나의 다짐은 현실이 되었다.

바다 깊은 곳에 목소리가 묻힌다.
입에서 공기가 팡팡 터진다.

나의 청춘이었다.

당신을 마주보며

당신은 나의 아주 오랜 꿈이었습니다.

아침에 눈을 떠 소망하고
밤에 눈을 감으며 소망했습니다.

아주 옛날 당신의 이름을
적을 수 있게 됐을 때부터 소망했습니다.

나의 어눌한 첫마디는 당신이었습니다.
당신은 한 글자 한 글자 새겨주었습니다.
또한 나를 소망했다 말했습니다.

아무도 원치 않을 나를 어째서 소망했냐

묻는 말에 가득 차버린 눈망울은
텅 빈 가슴을 채웠습니다.

우리는 서로의 결핍이었기에.

그럼에도 불구하고

나의 그리움 속에 남아있지 않을
당신이 벌써 밉습니다.

후회는 가슴을 짓누르고,
아무도 말해주지 않을 것입니다.

왜 그리도 모질게 굴었는지.

왜 그러는지,
왜 그랬는지.

닳아가는 속죄입니다.

내가 그대를 이해하지
못하는 이유

뭘 그리 알고
이해하고
해내야 하는지 모른다.

모두 그리 하고 산다면,
세상은 왜 같지 않으며,

불공평한 것 투성이에
어째서 이렇게 재미있을까.

다 같은 꿈을 꾸면,
뭐가 그리 재미있고 슬플까.

잔뜩 웃고 싶기도 하고
잔뜩 울고 싶기도 하다.

그리고 가끔은
아무것도
알고 싶지 않고

이해하고 싶지 않고
해내고 싶지 않다.

그냥 그렇다.

사실 알았는데도

나는 그곳이 따뜻한 곳인 줄 알았습니다.
내가 직접 가보기 전까지는

나는 당신이 늘 멋지고 빛나는 줄 알았습니다.
당신이 지쳐있는 모습을 보기 전까지는

나는 그곳이 나의 상상보다 커다랄 줄 알았습니다.
당신이 나의 상상에 부담감을 갖기 전까지는

나는 그곳이 잘 정돈된 곳인 줄 알았습니다.
영상통화 속 그곳을 보기 전까지는

나는 당신이 힘들어하지 않는 줄 알았습니다.
어느새 굽은 당신의 등을 보기 전까지는

나는 더 이상 그곳에 대해 상상할 수 없습니다.
내 머리 속에 그곳이 자세하게 그려졌습니다.

그곳에 당신의 노력이 가득 담긴 것을
알게 된 후로 나는 조금 괴로웠습니다.

내가 가보기 전까지는 그곳은 꿈같은 곳이었습니다.
당신의 부담감을 알기 전까지는
멋있는 금빛 공간이었습니다.

이제야 나는 알았습니다.

그 금빛이 금으로 타는
당신의 울음소리라는 것이었다는 겁니다.

알아도, 결국.

이 세상에 무한하고 영원한 것이 어디 있을까.

형체를 가진 물건들은 물론이고
형체가 없는 것들도 반드시 사라지니
그렇게 영원함 없이 살아가니
이 세상에 당연히 무한하고 영원한 것이
어디 있을까.

이 세상에 평생을 온전한 것이 어디 있을까.

모든 것들이 반드시 사라지고
숨이 가쁘게 흐르는 저 물결도 반드시 멈추니
우리는 슬프게도 그렇게 살아가니
나에게 주어진 것이 무엇 있을까.

기억이 추억이 되고

옛 것이 그리워
한참을 울어도
세상은 절대 다시 기회를 주지 않더군
오래된 동네의 가로등같이
꿈뻑꿈뻑 하루종일 졸았지만
그 누구도 내 어깨를 흔들지 않더군

앨범 속의 엄마가 활짝 웃어주면
아빠가 양팔을 벌려 안아주면
나도 언젠가
품 속 종이조각을 버릴 수 있을까.
안녕, 나의 추억이여.
이제는 멀리멀리 떠나버린 시간이여.

말하지 않고 견디면 될까
울지 않고 참으면 될까
하염없이 보고싶다.

조금 닳은 펜촉

다섯 개의 길이 있다면 당신은 어디로 나아가실 건가요. 아니, 단 한 개의 길만이 있다고 해도 그 발걸음은 가볍지 않을 것 같습니다. 진정 내가 가는 곳이 길인지, 그저 어떤 이가 넘어져 남긴 쓸린 자국인지 알 수 없습니다. 수십만 개의 길들 속에서 험한 길, 유독 구불구불한 길, 무너져내린 길을 걷지 않게 해준 당신이 있습니다. 어린 나의 손을 잡고 매일 걸어주던 당신이 있습니다. 나는 어느 것이 옳다 말할 수 없지만 그 길을 함께 걸을 수 있습니다. 무언가를 처음 해내야했을 때 셀 수 없이 두려웠습니다. 그럴 때마다 조금 닳은 펜촉으로 써주던 당신의 말들이 참 좋습니다. 오늘도 내일도 그리고 더 이상 우리가 함께 걸을 수 없을 때까지 항상 좋은 꿈을 꾸었으면 좋겠습니다.

너무 쓰고 떫어서

투명하지도, 새까맣지도 않은데
무엇인지 알 수 없는 것.

줄곧 원하기도 하고,
어떠할 땐 사랑하기도 했는데.

막상 가져와 내가 먹어보면,
다 맛없어.

그저 아무런 책임감 없이
단 것만 먹고 싶다.

쓰고 떫은 건 다 당신이 먹었으면.

scene number

건너편에 앉아 있는 너.

건네는 말도, 짓는 표정도 없는데.
그냥 너는 그 자리에.
나는 여기에 앉아, 보고만 있는데.

왜 자꾸 나는 너가 되는지,
손을 잡고ㅡ, 푸른 초원을 달리며.

어째서 나는 이렇게 푸르게 웃고 있는지.

다 아는 말

얘들아,
너네도 이제 …

너도 이제 커서
알겠지만, …

미안한데, …

너가 좀 넘어가주면 안돼?

왜 이렇게 …

제발 그만 좀 해, 진짜 …

이 말이 뭐라고,
진짜 … 왜 자꾸.

weak, name

그것은 나의 약점이었다.
그래서 무엇하나 마음대로 되는 것이 없었다.

참 지겹게도 싫었는데

그렇게 미워서
모진 말도 했는데.

우습게도
남들이 묻는 그 이름에
자꾸 내 정을 달아
대답한다.

성적

나의 노력이
누군가의 희망이 되고
동력이 되고
이유가 된다.

123456789
지긋지긋하게도
따라붙는 숫자덩어리.

번쩍번쩍 빛을 내다가도
빨갛게 달아올라 피를 흘리는 듯도 했다.

자신있게 웃어보이고,
주렁주렁 달린 금빛의
커다란 숫자들을 주머니에서 꺼낸다.

여분의 숫자가 있다면 얼마나 좋을까.

그것들이
핏덩어리처럼 징그럽게 기어다닐 때,
꽉 잡아 뭉개고 싶을 때.

당신에게 주머니 속
여분의 숫자를 줄 수만 있다면.

2부

멍청한 나는 더 이상

참담하지 않습니다.

오늘은

기다리지 않아도 오는 것. 원하지 않아도 얻어지는 것. 아침에 눈을 뜨면 창문을 통해 들어오는 햇빛. 귀찮도록 이어지는 하루, 반복되는 하루. 힘들다, 귀찮다, 그만하고 싶다를 끝없이 외치며 달려온 365일의 오늘들. 수없는 12시를 봐오며, 지평선 너머로 넘어가는 태양, 눈치 채지 못한 새에 떠 있는 달들과 오늘도 귀찮게 살아가고 있다. 힘든 하루가 와도 이제 이렇게 생각하기로 했다. 딱 하루만. 딱 하루만 더 귀찮아보자고.

비 오는 날

나는 비가 오늘 날이 싫었다.
소리가 잘 안 들렸거든.
너가 무슨 말을 하는지,
너가 어떤 소리를 듣고 있는지.

비가 오는 날에 서로의 우산을 쓰고
길을 거닐고 있으면,
우리의 사이가 참 멀어진 것 같았다.

우산에서 떨어지는 빗방울을
피하려고 멀어져야 했고,
너에게 빗방울을 떨어트리지 않기 위해
떨어져야 했다.

하지만 그것은 어설픈 너의 거짓말이었으며,
어설픈 너의 거짓말에 애써 속아주던 나였을 뿐이다.

내가 다가가 말을 걸려고 하면
나의 쪽으로 우산을 기울이던 너에게.

이제는 널 원망하지 않는다고 말할 수 있다.
너가 왜냐고 묻는다면 감히 답할 수 있겠지.

왜냐하면 곧 장마철이여서,
하늘이 떨어트려 주는 빗방울을 보며
너를 추억해야하거든.

눈

가만히 바라보면 그 이의 눈은
검게 닫혀있는 것 같기도 하고
하얗게 열려있는 것 같기도 했다.

어딘가를 바라보는지 알 수 있는 투명한 눈동자.
둘의 색깔은 명확히 대비되었지만
그렇다고 해서 떨어져있지 않았다.

하나의 눈에 담겨있는 두개의 행성.

눈의 한 가운데에는 그 어떤 색도
들어갈 수 없을 그 무엇보다 짙은 블랙홀이 있다.

나는 그 이의 4개의 행성 사이에 떠도는
인공위성이 된 것만 같았다.

낮잠

어두워진 시간과
뜨거워 땀을 흘리는,

목이 말라
텁텁하고,

감았던 시간만큼
주름이 진 눈꺼풀.

틈새로 새어나오는
거실 불빛.

곰팡이

항상 불행하다고 불평하던 이가 있었다. 하지만 나는 그가 불행하다고 생각해본 적이 단 한번도 없었다. 그의 불행은 눈에 보이는 것도, 그의 심장을 갉아먹는 것도 아니었다. 그저 그의 말 속에 피어난 곰팡이였을 뿐. 그는 그 곰팡이를 지우는 방법을 몰랐다. 이 지독한 썩은 내의 원인이 그 시야 밖에 있을 테니 알 턱이 없었다. 나는 그에게 불행의 원인을 말할 만큼 용기가 있지도 않았고 애정이 있지도 않았다. 그는 점점 불행 그 자체가 되어갔다. 점점 길어지는 불평을 타고 그의 몸에 안착한 곰팡이는 순식간에 번졌다. 이젠 그의 눈에도 곰팡이가 보였다. 불행이 눈에 보였다. 그의 심장을 갉아먹는다. 그는 이제 진짜로 불행하다. 하지만 그는 더 이상 불평하지 않는다. 하염없이 울고있을 뿐이다. 그러나 나는 여전히 그에게 괜찮다고 말할 만큼 용기가 있지도 않았고 애정이 있지도 않았다. 나 역시 불행한 사람이 되었다.

곰팡이가 무성히 피었다.
지독한 냄새가 온 세상에 퍼졌다.

남겨진

어떤 사람이 내게 물었다.
혼자 있는 것을 왜 그리 싫어하냐고.
처음에 그 질문을 듣자마자 코웃음을 치고 말았다.
질문 자체가 틀려먹었지 않은가.

그 사람은 홀로 남겨진 적이 없는
사람일 것이 분명하다.
선택의 시간이 다가왔을 때
남겨질까 걱정하지않고 골라지는 그런 사람.

나는 혼자인 것이 싫은 것이 아니다.
남겨지는 것이 두려운 것이다.
수많은 사람들 속에서 제외되는 것.

왜 그런 것이 있지 않은가.

요리를 하고 나서 재료가
더 이상 어느 요리에도 쓸 수 없을 만큼
조금 남았을 때 주저없이 버리는.
그 재료가 바로 나였다.

쓸모있음을 주장할만한 능력조차 없었기에
저항따위 해본 적 없다.

그 대신 나는 나눗셈을 아주 잘하는 아이가 되었다.
나머지를 아주 크게 쓰는, 그런 아이가 되었다.

유예

울음이
눈 아래에서
빙글빙글 돈다.

목울대 울려서
소용돌이 친다.

대체 뭐가 문제냐고,
제발 말 좀 해보라고.

아……,
그렇게 다그쳐도
소용없다.

삼키기엔 너무
커다란 소용돌이였다.

빨간불

아아,
뛰면 닿을 것 같은데.

오늘도 내가 도착하기 전에
너가 먼저 도착해있구나.

늘 너한테 지는 게 분해서
안간힘을 써서 달렸다.

빵 —————

너가
먼저 와 있는 이유가 있었구나.

죽은 글들의 모임

나의 머리맡에는
항상 포스트잇 여러 장이 놓여있습니다.

당신은 줄곧 그 말들을 궁금해 하곤 했습니다.
하지만 나는 당신에게 어떤 말도 해줄 수 없습니다.

그 포스트잇에 적힌 글들은
당신에게 주고픈 말이 아닌,
내뱉을 수 없는 말들뿐입니다.

나의 욕망으로 일그러져버린 죽어버린 말들.
나는 매일 머리맡에 놓인 죽은 말들을 되새깁니다.

그러니 더 이상 내게 사랑을 속삭이지 마세요.

오답노트

한 문제에
찍--,

그 다음 문제에도
찍--,

아깝지도 않은
오답의 행렬들이다.

답지를 옆에 두고는
미친 사람처럼 웅얼거린다.

글로 남기기엔
굵은 말들.

종이에 찍힌
숫자들에
일희일비하는 나.

빨간 볼펜은
중요한 거,

파란 볼펜은
기본 개념,

검정 볼펜은
그냥 …

포스트잇을 하나 뜯고

노란 형광펜을 들고

시험에 나올 확률 1..0..0..%

내 문제집 속에
수많은 은하수를 만들고

나는
꿈을 꾸다
꿈으로 남는다.

멍하니
누워있으면

멍이 든 것 같은
오른손 손날의
파란 볼펜,

파란 볼펜은
기본 개념 …

브이로그

평범한
일상 속의 소리

보글보글
시끌시끌
소곤소곤
서걱서걱

식탁에 앉아
끓는 찌개를 구경하고

엄마의 칼질 소리에 맞춰
꾸벅꾸벅 졸고

4교시가 끝나
신나게 뛰어나가는

오랜만에 모여
웃으며 얘기하는

자습시간에
혼나가며
나누는

쪽지에 적어
책상 밑으로 던져주는

평범한
일상 속의 소리

고장난 타이머

그는 시작이라고 외쳤다.
그는 분주하게 돌아다니기 시작했다.
마치 마지막 순간을 사는 사람처럼,
자신의 삶을 단 몇 초에 정리해야하는 사람처럼.
그의 표정에서는 울음이 가득 맺혀있었다.
나는 그저 지켜볼 뿐이었다.
그는 자신이 가장 아끼던 책을 들고
의자에 앉아 끝이라고 외쳤다.
그는 멈추었다.
과거의 그를 보는 것같이,
그는 책을 잡은 손도,
책을 보는 눈도―,
그 어떤 것도 움직이지 않았다.
나 또한 멈춘 것만 같이
아무 말도 내뱉을 수 없었다.
그러나 나는 살아있었다.
그를 어루어만졌을 때, 그는 너무나도 따뜻했다.
그는 여전히 살아있었지만, 그저 멈추었다.

한참동안이나 그를 바라보았음에도
그는 움직이지 않았다.
그를 바라보는 것은 내 일상이 되었지만,
멈추어 선 이를 바라보는 것은 그닥 즐겁지 않았다.
그렇기에 그 짧았던 일상은
다시 그에게로 돌아갔고,
나는 과거 속의 나처럼 살아가기 시작했다.
그는 나의 끝이 얼마 남지 않을 때까지도,
움직이지 않았다.
나와 함께 늙어가지만 그는 아무 것도 하지 않는다.

내가 책의 마지막 장을 넘겼을 때,
그는 다 닳아버린 목소리로 시작이라고 속삭였다.
평생을 끝으로서 살아버린 그는,
잡지 않았던 시간을 후회하며 한참을 울었다.
손틈새로 흘러나간 모래와 같이
그의 손에는 아무것도 남아있지 않았다.
그는 너무나 무모했으며,
스스로를 사랑할 줄 몰랐다.

시간은 그대의 뜻대로 그 무엇도 해주지 않는다.

절대성에 대항하는 그대여,

부디 시작으로서 평생을 사시오.

성묘

무슨 마음으로
그곳에 가는지

무엇이라고
말하기 어렵다.

보고싶은 사람이
멀리 있다는,

멀리 있는 그곳에서
잘 지내는지.

그런 마음이라
생각해 보기로 했다.

기분이 묘했다.

눈 없는
둥그런 저 모양이

날 보고
환하게 웃어주는 것 같다.

수많은
봉우리 중에

가장 활짝 웃고 있는.

나도 옆에
따뜻한 호두과자를
두고 활짝 웃어본다.

1인칭 시점

내가 이룬 것 중에 가장 자랑스러운 것이 묻는다면,
난 지금 그 누구보다도 자신 있게 답할 수 있다.
이 세상이 멸망하기까지 살아남았다는 것.
장난식으로 매번 뱉던 말이 사실이 되자
더 이상 웃을 힘조차 나지 않았다.
누군가 나를 죽이겠다고 총구를 머리에 들이대거나,
괴상한 생명체가 나를 쫓아오지도 않는다.
그저 너무나 평온한 하루.
나 또한 멸망을 앞둔 인간치고는 꽤나 평온하다.
무언가 마지막으로 하고 싶은 것,
그동안 해보지 못한 범죄행위라던지―,
수많은 사람에 의해 나의 몫을 챙기지 못했던 것들.

뭐 다 말하자면 입이 아프다.
어쨌든 그런 것 따위는 하고 싶지 않았다.

남은 생에 대한 미련이 없는 것은 아니다.
하지만 나는 이 평온한 세상이
너무나 마음에 들었다.
언제나 북적이던 이 거리에 더 이상 사람이 없다.
저 넓은 도로에는 차 한 대도 존재하지 않는다.
아무도 관리하지 않아
초록색으로 물들어버린 이 건물들,
평생 본 적 없던 생명체들.

살고자 했던 이들의 행방따위는 모른다.
홀로 남은 나는 이 넓은 세상에 누워,
허물어져가는 건물과 녹아내리는 저 햇빛과
함께 죽어간다.

그 어느 때보다 자유로운 풍경은
멸망없이 볼 수 없는 걸작이었다.

방과후 수업

내가 가장
좋아하는 종소리.

오후 3시,
하루 일과가 끝났음을
알리는 소리.

어제도, 오늘도, 내일도
늘 똑같이
일상처럼 친구들에게
인사하고는

쨍한 핑크색 실내화 가방을
발끝으로 툭툭 찬다.

괜히 조용한 학교를
한참을 둘러본다.

뱅글뱅글
돌다가

방과후 수업 시간이
되었다.

또 다시 종이 울린다.

내가 가장
좋아하는 종소리.

교문 앞에 활짝 웃은
엄마가 날 기다리는 소리.

멍청한 나는 더 이상
참담하지 않습니다.

잠시만, 아주 잠시만.
조금 이따가. 이 일이 끝나고.
마저, 이 후에.

알면서 하지 않는 것만큼 멍청한 것은 없습니다.
몰라 하지 못하는 것만큼 참담한 것은 없습니다.

단순히 하고 싶지 않았던 일들은,
할 수 없는 일들이 되었습니다.

이제는 아무것도 모르겠습니다.

신발끈

아주 좋아하는 신발 한 켤레가 있다.
매일매일 신어도 질리지 않는.

신발의 오른쪽 끈은 아무리 묶어도
계속 풀리곤 했다.

어떤 해답도 필요없는 신발끈은 자꾸만 풀어냈다.
꽉 묶기 위해 쓰였던 힘들이
무색하게 어느 순간 풀려있었다.

나의 친구는 걱정스럽게 말한다.
"너 신발끈 풀렸어."
 알고 있다.
 나는 모두 알고 있다.

꽉 묶은 것은 신발끈이 아닌
나였다.

지긋지긋하게도 자꾸만 풀리는 신발끈.
닮은 점 하나 없는 그것에게서 나를 보았다.

투명하게 비치는 것은,
신발이 바라보고 있는 나.

잔뜩 울상이 되어 신발끈을 묶는 나.

어리석은 자

뒤처진 자는 여유로울 수 없다.
앞서간 자는 여유로울 수 없다.
그들 사이에 있는 이들은 여유로울 수 없다.

자유로울 수 없다.
웃을 수 없다.

모두가 가지고 있는 공통의 구속감.

그 누구도 웃지 않는 경기.
소리치며 죽어가는 이들은 수 억명.

단 한가지만을 보고 달려든 이들보다 더욱
멍청한 자는 달리지 않는 자이다.

그들은 그저 그렇게 이름붙여진다.

살아남은 것이 중요한 것이 아니다.
그들은 죽을 용기가 없는 이들이 되었다.

어느새 죽음은 용기가 되었다.

3부

짙게 물든 손끝은

당신의 온기를

의미하고 있습니다.

새하얀

몹시도 새하얗다.
한 눈에 다 들어오지도
내 품에 다 안을 수도 없는
이 커다란 나의 세상이 눈으로 뒤덮혔다.

눈이 올 때마다 생각했다.
나에게 닿아,
또 다른 누군가에게 닿아
한숨에 녹아 없어져버리는 이 눈들은.

어느새 바닥에 한가득 쌓여서
내게 하얀 세상을 안겨주는지에 대해서 말이다.

세상의 모든 빛들을 한 몸에 받아
하얀색을 띠는 이 눈들은

그 빛들 덕에 하얗게 빛나고
그 빛들 때문에 녹아 사라진다.

잠시라도 그렇게 빛나서 기뻤는지,
아니면 더 이상 빛나지 못해 슬픈지.

내 세상에 남아있는 너에게 물어보고 싶다.

입동

나에게 긴 겨울의 시작을 알려주는 것은
온도가 아니라 너였다.

11월이 지나 12월,
온도가 많이 떨어져 사람들의 옷차림도 바뀌어간다.
차가운 바람 덕에 손끝과 귀가 얼어붙을 듯이
차가워졌다.
눈이 내리고 바닥이 꽁꽁 얼어도
난 아직 겨울이 오지 않았다고 한다.

모든 이들이 내게 겨울이 온지 한참 지났다고,
나를 위로하는 듯한 따뜻한 말들을 건넨다.

그들의 입에서 나오는 입김은
분명 따뜻한 그들의 온기일 것이다.

허나 내게 닿은 그들의 온기는
이미 차가워져버린 떠다니던 공기들 중 하나였다.

수많은 눈들을 지나고
수많은 차가운 공기들을 지났다.

그동안 겨울을 맞이하지 못한 나에게 너가 왔다.

아, 겨울이 왔구나.
정말로 아름다운 추위였다.

봄의 자만

내게 오는 이들은 모두 죽은 이들입니다.
색을 잃고, 생명을 잃은 자들은
내 곁에 서성이기만 합니다.
그 어떤 숨도, 말도 내뱉을 수 없을 테니까요.

이 곳엔 없는 것이 없습니다.
눈이 부시게 멋있는 사랑을 한 이도,
하염없이 녹아버린 이도,
운명같이 내 앞에서 눈을 뜬 이도.

모두 내것입니다.
나는 이들을 구원할 수 있습니다.

한껏 달아오른 내 몸은 저 하늘의 태양이 되고,
죽은 이들은 꽃이 되어 활짝 피었습니다.

이들은 나를 위해 그 어느 때보다
밝게 빛나 나를 칭송할 것입니다.

당신이 갖지 못한 전지전능함을
열망하고 숭배하세요.

언젠가 다시 돌아올 나의 시대를 기다리며.
마음껏 넘어지고 다쳐도 좋습니다.
멋대로 죽어버려도 좋습니다.

당신을 구원할 나는
여전히 이곳에서 당신을 보고 있습니다.

여름의 유서

나는 살인자입니다. 수많은 이들의 고통을 자아내는 살인자입니다. 나는 그들이 지금 당장 숨을 멈추게 할 수도, 녹아 없어져 버리게 할 수도 있습니다. 나의 권위는 끊임없이 높아져갑니다. 수많은 생명줄은 내 손아귀에서 정처없이 떠돌고 있습니다. 줄이 끊겨가는 소리는 마치 내가 타들어가는 듯 고통스럽습니다. 이유없는 이 저주는 나를 옭아매고 점점 조여오고 있습니다. 살인마는 어쩌면 내가 아닌 그들일 지도 모르겠습니다. 그들은 나를 죽여주지 않습니다. 놓아주지 않습니다. 멈추지 않는 나는 하염없이 울고만 있습니다. 이 눈물이 그친다면 난 또 다시 그들을 죽일테니까요. 이번 눈물은 조금 더 길었으면 좋겠습니다.

10월의 편지

내가 본래 가지고 있는 색은 초록색이지만,
그대를 위해 한겹 벗어던지니
어느새 내가 아니게 되었습니다.
그대가 나를 보러 오신다는 소식이 들려오면
나를 잊기 위해 무수히 노력합니다.
그대 오시는 길이 너무 험하지는 않을까,
넘어져도 아프지 않도록 이 넓은 길에
나를 흩뿌립니다.
나를 찾지 못할까 애써 만들어본 붉은색이
무안하게도 그대는 또 다시 나를 지나쳐갑니다.
찾지 않는 것인지,
찾지 못한 것인지는 알 수 없습니다.
아니, 나는 알고 있습니다.
허나 나는 또 하나의 나를 거쳐
그대를 기다릴 것입니다.

겨울의 기록장

짙게 물든 손끝은 당신의 온기를
의미하고 있습니다.

유난히 빨갛던 손끝과 마디들.
그 손을 볼 때면 나는 어찌할 줄을 몰랐습니다.
내게 스쳐 가만히 멈춰 선 당신의 것들.
당신을 향한 욕망을 삼킬수록
목구멍은 점점 부풀어올랐습니다.

그해 나는 당신의 것이었습니다.
아무도 모르게 당신을 삼켜버린다면,
나는 행복할 것 같습니다.

당신에게 내가 건네었던 모든 것들은
한참을 떠돌다 눈으로 내렸습니다.

나를 비참하게 만드는 것은 당신의 아름다움입니다.
이루지 못한 욕망에 대한 감정을 삼키고
또 삼키고―,

난 이제 이를 내뱉지 않기 위해
아무 말도 할 수 없습니다.
그저 아무 말 없이 눈으로 내리고,
바람으로 스칠 뿐입니다.

그 중 내가 위안으로 삼을 수 있는 유일한 것은
나로 인해 멈추는 당신이 있다는 것입니다.

나아가세요,
막아선 나를 원망하지 말아주세요.

내 품 밖에서 유난히 아름다운 당신은
내게 절망과도 같은 존재입니다.

입모양

너 떠날 때 제일 먼저 잊혀지던,
.... 물고기 아가미처럼

뻐끔,
뻐―, 끔.

닫혀버린 그 아가미가
내 눈꺼풀 같다.
감기지 않는 내 귀가
마지막으로 들은 소리.

뻐,

끔,

자각

항상 꿈꾸던 미래는
밍밍하고,

기대하던 가슴은
아주 얇고 얇게
부풀어서
투명하게 보인다.

이 빌어먹을 밍밍함에 닿았을 때
나는 그냥 텅 비어있다.

그런데 왜 이렇게,
내 숨은 무거운지,
이제 뭐하면 될까,

보라색

그리던 그림에
색이 모자랐다.

들고 있는 팔레트에는
다 굳은 하얀색,
흘러내리는 검은색,
말라버려 알갱이가 된 노란색.

나보다 더 큰 색이 만들고 싶어서,
푸른 바다에
붉은 불을,

너무 당연하게도
내게 보라색은 없다.

우울한 우연

보이지도 않는 실을
운명이라 부르면서,

당신 앞에
줄곧 서 있는 나는 왜
우연인가요.

당신의 운명은 그리도 얇고
당신의 우연은 그리도 큰가요

난 왜 이렇게 큰 걸까요

의자

아무 말 없이 그냥, 가만히.
어디를 보는지는 당연히 알 수 없고,
그저 조용히 서있다.
내가 앉기만을 바라며 우뚝 서있는.

나 그런데, 앉기가 싫어요.
당신이 보여주는 세상은 너무 좁아.
언제나 멀어지기만 하는 수평선의 것들.
닿을 만큼 가까이 있는 것은
나의 소망보다 작은 것들.

왜 이렇게 우울한 세상을 보고 있나요.
당신은 꿈도 꾸지 않나요.

그 누구도. 모를 거예요. 여기에 있는 당신은.
하루의 온도를 가득 머금은 모래알 위로
당신과 누워, 나의 하늘을,
당신의 천장을 바라봅니다.

그래도 나, 당신을 위해 앉았어요.
당신이 무슨 표정을 짓는지는 알 수 없지만.
어차피, 어차피 모를 거라면.

그래서 나 앉았어요.

부탁하겠습니다.

　여기는 어디입니까. 당신은 누구입니까. 지금은 몇시입니까. 몇월 며칠입니까. 나는 괜찮은겁니까. 내가 무얼 해야 하는 겁니까. 내가 무얼 해서 이러는가요. 미안합니다. 미안합니다. 나는 아내랑 자식들이 있습니다. 어서 가봐야 합니다. 그만, 그만 해주십시오. 어떻게, 어떻게 말하면 될까요. 하얀색이 싫습니다. 검은색은 더더욱 싫습니다. 내 안에는 검은색뿐이어서 편히 쉴 수도 없습니다. 당신은 압니까? 알고 이러는 겁니까, 아니면. 나 죽어 버릴 것 같습니다. 무섭습니다. 괴로워. 제발. 여보, 제발 그만해. 왜 이러는 거야, 대체. 나미칠 것 같다고. 그만해, 여보. 응? 당신이 드디어 내게 안식을 주려는 걸까요. 어서. 계속 하십시오. 이제 와서 그만 두자는 겁니까. 오, 아름다워라. 몹시 아름다워요, 더 활짝 웃으십시오. 드디어 해냈습니다. 이제 나는 무엇이 되는 걸까요. 이미 되었을까요. 나는 당신을 위해 가장 아름다운 작품을 버렸습니다. 이제 모두 가졌나요.

나에게 고맙습니까. 아름답지 않은 건 너무 시시해요. 지루하고, 볼품 없습니다. 한 평생 지루함으로, 지겹지도 않습니까. 나는 그대 아름답지 않음에 매일이 괴로웠는데, 어째서 그대는 매일이 웃음뿐입니까. 내가 우습군요. 이대로 돌아가십시오. 어디에 앉아도 괴로울 것이며 눈을 감아도 떠도 그대에게 아름다운 색이란 없을 것입니다. 나를 죽이십시오. 나 대신 일분 일초라도 더 괴로우십시오. 나는 이미 그대에게 모든 축복을 내렸습니다. 아무 말도 들리지 않습니다. 무슨 말이라도 해보십시오. 대답하지 않을 거라면 그냥 내 앞에 서 있기라도.. 제발. 많이 화가 났습니까. 그래서 더 이상 나타나지 않는 겁니까. 나 온종일 혼자 생각이라도 해보라고, 말도 안 되는 벌이라도 내린 겁니까. 당신이 이래도 되는 겁니까. 매일을 머리 속에 맴돌고, 열등감을 머리에 새기고 혐오를 눈에 담았으며, 모든 질문을 내 입에 담아놓고는. 이렇게 떠난 겁니까. 이제 나는 무엇을 가지고 있나요. 나에게 고맙습니까..?

왜 다들 아무 말이 없습니까. 하얀색이라도 좋습니다. 내게 색을, 사람을, 당신을 보여주십시오. 너무 괴로워, 너무. 온 곳이, 온 몸이 검은색입니다. 아름답지 않아서 그런가요. 그래서 그런가요. 깊이 속죄하며 아름답겠습니다. 깊이, 더 깊이 아름답게. 안녕히 계십시오.

나는 이제 그렇다.

난 늘 크고 허황된 꿈을 꾸었다.
꿈을 이룰 큰 각오나 능력이 있어서가 아니다.
나는 그저 실패가 두려웠고
실망하고 싶지 않았다.

나는 뛸 수 없는 것이 아니라
그곳은 닿을 수 없는 곳이라고 새겼다.

한없이 날고 싶었지만 내가 어떻게 날겠는가.

천장,
사실은 나를 질투해 일부러 그곳에 서있는 것이다.
내 질투는 너무 질겼다.

어딘가로 튀어나가지 않으면 안됐다.

천장의 큰 구멍.
쏟아져 내린 푸른 먼지들.

질긴 질투가 탕 하고 튕겨져 나왔다.

어느 순간보다 가장 분노하며 울었다.
딱딱하게 굳어 더 이상 꺼내볼 수 없는
모진 말들을 밟고 서 올랐다.

나의 품만한 구멍.
나로 인한 구멍.
나.

따뜻한 눈을 맞아 본 적이 있는가?
달콤한 비는 맞아 본 적이 있는가?
혹은 그런 사람을 본 적 있는가?

나는 이제 그렇다.

설탕

저건 몇명분일까. 저 정도 모으려면 얼마나 걸리려나. 더 달라고 하면 이상하게 보려나. 저 여자도 이걸 가지고 있는 걸 보니 뭐, 딱히 눈치는 안봐도 될 것 같다만. 이 싱겁기만 한 음식을 어떻게 먹으란 말이야. 저기, 조금만 더 뿌려주시지요. 아 이건 너무 예의없으려나. 그래도 저걸 나눠달라고 하는 입장에서 좀 더 상냥하게 대해야지. 혹시 더 드시겠어요? 싱거우신 것 같아서요. 이젠 어떤 입맛인지도 알겠네요. 이 여자는 뭐지? 생기 가득한 눈으로 내게 그것을 건넸다. 내 입맛을 어떻게 안다는 건지, 정말로 같은 부류인가? 너무 기뻐하지 않으려 웃음을 참았더니 손이 부르르 떨렸다. 소리내지 않고 환히 웃었다. 움푹 파인 내 보조개에 가득 뿌려 넣었다. 고개를 쳐 들어 눈썹에 한 번, 흘러내리는 콧대에 한 번, 아 조금 거친 방식을 사용한 듯 하다. 조금 크고, 버석버석하게 달라붙는 이 알갱이는 내 향보다는 아래에 맛보다는 위에 앉았다. 늦은 감사 인사를 하려, 그것을 핥아 먹었다.

여자는 눈으로 두려움을 입으로는 간절함을 코로는 차분함을 보였다. 참으려는 숨이, 뭘까. 내뱉어보길 권유하고 싶다. 찰랑이는 눈 속에 둥둥 떠다니는 알갱이. 내려온 눈꺼풀에 의해 가려진 알갱이. 그 여자는 이미 더듬거리며 안식처를 찾았다. 이제는 두려움 대신 신중함이 보였고 어딘가 단호함이 나왔다. 어째서 저런 태도를 보이는가. 쥐고 있는 칼은 내려놓아도 될텐데. 왜 이러십니까, 나의 기도 방식이 별로였습니까? 나는 늘 감사하며 먹지요. 이것을 위해 노력한 자들을 위해서, 오늘은 그대를 위함이었지요. 많이 놀란 듯 한 그 여자는 부엌의 모든 찬장을 열고 그것을 통에 담아 내게 던졌다. 한 마디도 하지 않았다. 무릎을 굽혀 바닥에 나뒹구는 그것들의 집을 집었다. 꽤나 형편없는 곳에 모셔두셨군. 투명한 비밀봉지. 수없이 적힌 크고 작은 글씨들. 흐릿한 글씨. 2003년 6월 3일까지. 꼼꼼한 여자구나. 입안 가득 넣었던 그것이 녹아 넘어갔다. 끝맛이 달다. 몹시 달아, 그것은 분명 얼마 되지 않은 것이었을 것이다. 헹구지 않아도 될 정도로 깔끔한. 멋진 식사였습니다. 그 칼은 쓰지 않았으니 안 씻어도 되겠군요.

통 가득 그것을 들고 눈으로 웃었다. 이번에도 소리 내지 않았다. 일부러 미지근하게 맞이하는 행복은 슬픔을 극복한 듯한 짜릿함을 준다. 간신히 지나온 절규의 끝자락에 서서 보는, 해돋이. 거짓도 규칙으로 규정하면 섭리가 된다. 그것들이 부딪혀 내는 날카로운 소리를 들었다. 좋았다. 날카로운 것들 사이에 숨어 보조개가 움푹 파이게 웃었다. 찔려 파인 건지 피해 파인 건지. 나는 늘 그렇게 웃었다.

각성

그래, 텁텁한.. 느린 토끼같은 그런 머저리같은 기분을
느꼈다.
맛없고 느린 토끼는 멋없고 늘어진 나와 같다.
토끼무리에서도 당연히 밀려났을 것이고 잡아먹히고도
뱉어질.
맛없는 식사를 마친 거대함은 괜히 혀끝을 튕기며 돌
아서겠지.
텁텁함은 물을 마셔도 맛있는 것을 먹어도
스스로 잊기 전까지는 혀 끝에 오래 남아있을테니까.
먹히는 작음의 입장에서 내가 맛있는 식사이길 바랬다
가
괘씸한 거대함에 괜히 나오는 토를 삼킨다.
나는 언제 먹힐지 몰라 늘 더러운 것을 묻히고
토를 삼키고 대소변을 참고 병들기를 고집했다.

푸른 들판에서 보았다.
한층 더 거대해진 뒷모습을.
때마침 열린 입구멍 속에 텅빈 눈을 한 멋있는...
그런 탐욕스러운 장면을 보고 말았다.

나는 느꼈다. 모든 것을 쏟아내고 거대해짐을,
작음의 공포는 감사하게도 맛있었다.
나는 텁텁한 포식자다.
나는 그 거대함을 씹어보았지만 작음 따위의 맛은 느
껴지지 않았다.
그저, 혀 끝을 튕기며 나는 돌아섰다.
토끼는 맛이 없어도 괜찮은 것이다.
그저 가득 공포스러워하면 된다.

개념어 사전

사랑

들리지 않을 말을, 듣지 못할 사람에게.
하루종일 외쳤다.

절망

들리는 그 말을,
애써 무시하며 나아가는 그 이에게.
나는 더 이상 아무말도 뱉을 수 없었다.

저는 사실

당신이 평생동안 진심으로 믿어온 것이 거짓이라면,
거짓인 걸 믿어왔는데 진실이라면.

오랫동안, 진심으로 믿은 당신에게는 두 개의 선택지가
있습니다.
그렇게 검은 눈동자를 하고 절 바라보지 마세요.
저는 당신의 믿음에 가담하지 않았습니다.
그저 진실과 거짓이 이곳에 모이게 했을 뿐입니다.

마저 말씀드리자면, 첫 번째 선택지는 이제 그만 놓아
주는 것입니다.
당신의 거짓을 놓아주세요.
그릇된 믿음을 깨트리세요.

더더욱 까맣게 물든 눈을 보고 첫 번째 선택을 하라고
강요할 순 없겠군요.

두 번째 선택지는, 그저 그대로 살아가면 됩니다.

깨졌던 믿음은 빗방울을 형상화한 미술품이라고 우기세요.

놓친 거짓들은 어린 시절 놓아주었던 풍선처럼 보내주세요.

그리고 새롭게 믿으십시오.

당신의 대답은 듣지 않아도 알겠군요.

그 전에 당신께 드릴 말씀이 있습니다.

"저는 사실..."

작가의 말

널린 여름은 추억이라고 부르면서
왜 나는 그저 기억으로 남아